Junie B. Jones
Fouineuse-ratoureuse

Junie B. Jones
Fouineuse-ratoureuse

Barbara Park
Illustrations de Denise Brunkus

Traduction originale de Nathalie Zimmermann

Éditions
SCHOLASTIC

*À mon éditrice, Linda Hayward – la plus meilleure
amie de Junie B. dans la vraie vie*

Catalogage avant publication de Bibliothèque
et Archives Canada

Park, Barbara
Fouineuse-ratoureuse / Barbara Park;
Illustrations de Denise Brunkus;
Traduction originale de Nathalie Zimmermann.

(Junie B. Jones)
Traduction de : Junie B. Jones and Some Sneaky Peeky Spying.
Pour les 7-10 ans.
ISBN-13 : 978-0-439-94072-6
ISBN-10 : 0-439-94072-9

I. Brunkus, Denise II. Zimmermann, Nathalie III. Titre.

IV. Collection : Park, Barbara Junie B. Jones.

PZ23.P363Fo 2006   j813'.54   C2005-907385-3

La présente édition a été publiée en 2006 par les Éditions Scholastic,
604, rue King Ouest, Toronto (Ontario) M5V 1E1.
Pour toute information concernant les droits,
s'adresser à Random House, Inc., 201 East 50th Street,
New York, NY 10022, É.-U.

Table des matières

ABC

Les
déchets
vont
dans la
poubelle

1/ Une espionne ratoureuse

Je m'appelle Junie B. Jones. Le B, c'est la première lettre de Béatrice. Je n'aime pas ce prénom-là, mais le B tout seul, j'aime bien ça!

Moi, je vais à la maternelle. La maternelle, c'est ce qui vient avant la première année. Sauf que je ne sais même pas pourquoi ça s'appelle la maternelle. C'est un peu bête, comme nom. Moi, je trouve que ça serait mieux de l'appeler l'année zéro!

Mon enseignante s'appelle Madame. Elle a un autre nom, mais je ne m'en souviens jamais. Et puis, j'aime bien dire Madame tout court.

Madame a des cheveux bruns pas très longs. Et aussi de longues jupes en laine. Et elle sourit tout le temps.

Sauf, des fois, quand je fais du bruit. Alors là, elle tape très fort dans ses mains en me regardant.

Avant, ça me faisait un peu peur, mais maintenant, je suis habituée. Et je ne fais plus trop attention.

Je voudrais bien que Madame habite à côté de chez moi.

On serait des voisines.

Et aussi, on serait des copines.

Et alors, je pourrais l'espionner.

Espionner, c'est quand on ne fait pas de bruit du tout et qu'on regarde les gens par un petit trou ou une fente ou quelque chose comme ça.

Moi, je suis très bonne pour espionner.

C'est parce que j'ai des pieds silencieux! Et que mon nez ne fait pas de bruit quand je respire!

Vendredi matin, chez mon papi Miller, je me suis cachée dans le panier de linge sale.

Mon papi est entré dans la salle de bain. Alors j'ai soulevé le couvercle un tout petit peu. Juste pour regarder en cachette ce qu'il faisait.

Et vous savez quoi?

Papi Miller a sorti toutes ses dents de sa bouche! C'est ça qu'il a fait!

J'ai sauté du panier et j'ai crié :

— EH, PAPI! COMMENT TU FAIS ÇA?

Papi a crié très fort! Et il est sorti de la salle de bain comme une fusée!

Je pense que papi Miller a le coeur qui bat trop vite.

Pas longtemps après, maman est venue dans la salle de bain, très fâchée. Elle a crié :

— Junie B.! Ça suffit, maintenant! Tu arrêtes d'espionner! C'est la dernière fois que je te le dis! Tu m'entends?

— Oui! ai-je répondu. Parce que tu me cries dans l'oreille!

Alors maman m'a ramenée dans notre maison à nous. Mais elle était encore fâchée contre moi.

— Trouve-toi quelque chose de tranquille à faire, Junie B.! m'a-t-elle ordonné. Ton petit frère a besoin de dormir!

J'ai réfléchi et réfléchi encore. Puis j'ai eu une très bonne idée!

D'abord, j'ai enlevé mes souliers qui font du bruit...

Et puis je suis entrée sur la pointe des pieds, en bas, dans la chambre de bébé Ollie.

Et je l'ai espionné longtemps à travers les

barreaux de son lit.

Parce que c'est tranquille, ça, espionner quelqu'un!

Mais c'était ennuyant, parce que le bébé ne faisait que dormir.

Et il n'était pas drôle du tout.

C'est pour ça que, sans faire exprès, je lui ai soufflé sur la figure.

Et que je lui ai chatouillé le bout du nez avec un ruban.

Et que je lui ai crié : « RÉVEILLE-TOI! » dans l'oreille.

Et vous savez quoi? Mon petit frère a ouvert les yeux!

Il s'est mis à pleurer tellement fort que maman l'a entendu et est arrivée en courant

dans la chambre.

Mais elle ne m'a même pas vue! Parce que je me suis vite cachée dans le placard.

J'ai souri dans le noir. Et je me suis dit, dans ma tête, que j'étais la championne du monde des espionnes.

C'est pour ça que, plus tard, quand j'ai pris l'autobus de l'école, j'étais assez contente de le dire.

— Je suis la championne des espionnes! ai-je expliqué à ma meilleure copine qui s'appelle Grace.

Puis j'ai enlevé mes souliers et je lui ai montré mes pieds en bas.

— Tu vois? Comme ça, ils ne font pas de bruit... On ne peut presque jamais les entendre!

Après, j'ai respiré pour lui montrer.

— Et tu vois? Mon nez ne siffle pas du tout!

Grace a ri.

— Moi aussi, je suis bonne pour espionner!
m'a-t-elle dit.

Je lui ai donné des petites tapes sur l'épaule.

— Oui, mais c'est dommage pour toi,
Grace! Parce que tu ne peux pas être aussi
bonne que moi. Parce que je l'ai dit la
première!

Alors Grace s'est énervée et a soufflé dans
ma figure. Je lui ai dit :

— J'ai entendu ton nez siffler!

À ce moment-là, l'autobus est arrivé à
l'école. Alors Grace et moi, on a fait la course
jusque dans la cour.

Bon, elle a gagné. Sauf que ça ne comptait
pas parce que je ne faisais pas vraiment la
course.

Et puis on a joué au cheval avec mon autre
meilleure copine qui s'appelle Lucille. Mais la
sonnerie a sonné très vite. On a couru jusque
dans ma classe numéro neuf.

Madame nous attendait devant la porte.

— Bonjour, jeunes filles! nous a-t-elle dit.

— Bonjour, jeune fille! ai-je répondu bien poliment.

Alors Madame m'a souri.

Parce que c'est la maîtresse la plus gentille que j'aie jamais vue.

J'aimerais bien qu'on soit des meilleures copines.

Et vous savez quoi?

J'aimerais bien me cacher dans son panier de linge sale!

2/ Plein de questions

Ma meilleure copine Lucille et moi, on est assises à la même table.

Ma table, c'est là où je reste assise bien droite.

Et où je fais mon travail.

Et où je ne parle pas à ma voisine. Sauf que ça, j'oublie tout le temps.

— Je me demande où Madame habite... ai-je chuchoté à Lucille.

— Chut! m'a répondu Lucille. On n'a pas le droit de parler sinon... on va se faire gronder! De toute façon, tu n'as pas le droit de savoir où elle habite. Parce que c'est un secret!

— Qui t'a dit ça? lui ai-je demandé.

— Mon frère! Et il est en troisième année, mon frère! Et il dit que les enseignants ne peuvent jamais dire où ils habitent. Pour ne pas que les enfants aillent lancer des tomates pourries sur leur maison!

J'ai soufflé très fort.

— Oui, mais moi, je ne veux pas lancer de tomates pourries, Lucille! Je veux juste me cacher dans son panier à linge, c'est tout.

— Je m'en fiche! m'a-t-elle répondu. Tu n'as pas le droit de savoir quand même! Parce que c'est mon frère qui l'a dit. Et il sait plus de choses que toi. Bon!

J'ai pris mon air pas content et je lui ai déclaré :

— Ce n'est pas beau de dire *je m'en fiche*, Lucille.

Et aussi, je lui ai montré mon poing. Mais Madame m'a vue. Alors je l'ai desserré.

Après ça, j'ai été sage comme une image.

Je me suis tenue bien droite. Et j'ai fait tout mon travail.

Le travail, c'est quand on *fléréchit* et qu'on a un crayon dans la main.

Mais, des fois, quand je travaille, j'efface trop fort. Et ça fait un gros trou dans le papier.

— Eh! c'est bien beau ce que j'ai fait aujourd'hui, hein! ai-je crié. Parce que, vous savez quoi? Il n'y a même pas de trou. C'est pour ça!

Madame est venue à ma table. Elle a mis une belle étoile dorée sur ma feuille et elle a dit :

— Très beau travail, Junie B.! Je vais probablement l'accrocher au mur pour la journée des grands-parents, lundi prochain. Tu veux bien?

— Oui, oui... ai-je répondu. Mais... j'ai encore oublié pourquoi les papis et les mamies vont tous venir ici.

Alors Madame m'a encore expliqué la journée des grands-parents. Elle a dit qu'ils viendraient nous faire une petite visite. Et qu'on leur montrerait notre classe numéro neuf et qu'il y aurait des *fraîchissements*.

Elle a dit que des *fraîchissements*, c'étaient des biscuits et des boissons.

J'ai levé la main.

— Oui, mais je pense que je n'ai pas le droit de boire des boissons. Je peux seulement boire du lait et du jus et c'est tout!

Madame a regardé le plafond. Alors moi aussi, j'ai regardé le plafond, mais il n'y avait rien à voir.

— Qui pourra apporter des biscuits, lundi? a demandé Madame.

— MOI! MOI! ai-je crié. PARCE QUE MA MÈRE FAIT LES PLUS MEILLEURS BISCUITS DU MONDE, C'EST POUR ÇA! SAUF LA FOIS OÙ ELLE LES A OUBLIÉS DANS LE FOUR ET QUE LES POMPIERS

14

SONT VENUS CHEZ NOUS...

Madame a ri. Mais je ne sais pas pourquoi. Parce que ce n'était pas une histoire drôle.

Après, elle m'a donné un mot pour maman. Pour qu'elle fasse des biscuits, je pense.

— Si ta maman a des questions, qu'elle n'hésite pas à m'appeler! m'a dit Madame.

À ce moment-là, j'ai eu vraiment une très bonne idée!

— Eh! ma maman et moi, on pourrait porter les biscuits chez vous. Comme ça je pourrais voir où vous habitez!

Madame a passé sa main dans mes cheveux.

— Tu n'as pas besoin de venir chez moi, Junie B. Apporte simplement les biscuits à l'école lundi matin.

Alors j'ai fait un très gentil sourire.

— Oui... mais je voudrais savoir où vous habitez!

Madame s'est tournée pour aller à son bureau. Alors j'ai été obligée de la suivre.

— Est-ce que vous avez une maison qui coûte cher, ou une maison normale? lui ai-je demandé. Parce que moi, j'ai une maison normale. Mais maman, elle voudrait bien une maison qui coûte cher. Et mon papa, il lui dit : « On peut toujours rêver! »

soleil   pluie   neig

Madame m'a montré ma chaise. Ça veut dire « Va t'asseoir », je pense.

— Oui... mais... est-ce qu'il y a un papa avec vous dans votre maison? Est-ce que vous avez sa photo dans votre portefeuille? Je peux la regarder? Avez-vous un compartiment secret dans votre portefeuille? Parce que mon papi Miller en a un et il a mis 50 $ dedans. Mais il

ne faut pas le dire à mamie.

Madame m'a prise par la main. Et puis on est retournées toutes les deux à ma table.

— Mais j'ai une autre question, moi! lui ai-je encore dit. Je me demande quand c'est, votre heure d'aller au lit. Parce que mon heure à moi, c'est quand la petite aiguille est sur le sept et la grande, sur le six. Mais je n'aime pas cette stupide d'heure d'aller au lit! Parce que je ne suis jamais fatiguée pour me coucher, moi!

Madame a mis un doigt sur sa bouche. Et elle m'a dit :

— Cela suffit maintenant, Junie B.! Je suis sérieuse! Je veux que tu t'assoies!

Elle est retournée devant la classe. Et elle n'a même pas répondu à mes questions.

Parce que vous savez quoi?

Madame, elle aime les mystères. C'est pour ça!

3/ La Madame à mystères

Ma meilleure copine Grace et moi, on a pris l'autobus ensemble.

Je lui ai parlé de Madame et de sa maison super secrète.

— C'est une Madame à mystères. Parce qu'elle n'a pas voulu répondre à mes questions. Et maintenant, je suis curieuse de savoir des choses sur elle!

— Moi aussi, maintenant, je suis curieuse de savoir des choses sur elle! a dit Grace.

Je lui ai donné des petites tapes sur l'épaule.

— Oui, mais dommage pour toi, Grace! Parce que tu ne peux pas être aussi curieuse que moi. Je l'ai dit en premier!

Et elle m'a encore soufflé dans le nez! J'ai dit :

— Oups! Ton nez a encore sifflé, Grace.

Un peu plus tard, je suis descendue de l'autobus. Et j'ai couru jusque chez moi et, en arrivant, j'ai crié :

— MAMIE! MAMIE! C'EST MOI, C'EST JUNIE B. JONES! J'ARRIVE DE L'ÉCOLE!

Mamie Miller nous garde, bébé Ollie et moi, quand maman est au travail.

Mamie était dans la cuisine en train de donner des pois tout écrasés à mon petit frère.

— TU SAIS QUOI, MAMIE? TU SAIS QUOI? MON ENSEIGNANTE EST UNE MADAME À MYSTÈRES! ET ELLE NE VEUT PAS ME DIRE OÙ ELLE HABITE! MAIS MOI, JE VEUX VRAIMENT ALLER CHEZ ELLE!

Mamie Miller m'a fait :

— Chuuuut... Tu n'as pas besoin de hurler, Junie B. Je suis juste à côté de toi!

— Oui, mais je ne peux pas m'en empêcher, mamie! Parce que je suis trop curieuse de savoir des choses sur elle, moi!

Mamie Miller m'a souri. Et elle a dit :

— La curiosité est un vilain défaut... tu sais ça?

Ma bouche s'est ouverte toute grande et mes yeux sont devenus tout ronds.

— Pourquoi c'est *de faux*, mamie? Moi, c'est pour de vrai que je suis curieuse de Madame! Et puis ce n'est pas vilain! Moi, je veux qu'elle soit mon amie. Ce n'est pas vilain, ça! C'est gentil!

Mamie Miller m'a regardée très longtemps. Et puis elle est allée près de l'évier et elle a pris une aspirine.

C'est à ce moment-là que j'ai entendu du bruit à la porte. C'était maman qui rentrait de son travail!

— MAMAN! MAMAN! J'AI UN MOT TRÈS IMPORTANT POUR TOI! PARCE QUE TOI ET MOI, ON DOIT FAIRE DES BISCUITS DÉLICIEUX! ET APRÈS, ON PEUT LES APPORTER CHEZ MADAME POUR VOIR OÙ ELLE HABITE!

Maman a lu le mot.

— Il est écrit que nous devons apporter les biscuits à l'école, Junie B., pas chez ton enseignante...

— Oui! Mais ça, je le sais déjà! Mais mon enseignante, c'est une Madame à mystères. Et elle ne veut pas me dire où elle habite! Alors il faut qu'on trouve toutes seules!

Maman a fait non de la tête. Et elle a dit :

— Pas question, mon chou!

— Oui! Question! ai-je crié. On est obligées! Il faut que je trouve sa maison! Parce que maintenant, je suis trop curieuse en dedans. Pour de vrai! Même si mamie Miller dit que c'est *de faux* et que c'est vilain!

Maman a regardé mamie en fronçant les sourcils. Et mamie Miller a pris une autre aspirine.

— Ton enseignante n'est pas une Madame à mystères, Junie B., a dit maman. C'est une personne normale, avec une famille normale, et il n'est pas question qu'on aille la déranger chez elle!

J'ai tapé du pied.

— OUI, ON VA Y ALLER! OUI, OUI, OUI! PARCE QUE JE VEUX Y ALLER, C'EST POUR ÇA!

Après, j'ai été obligée d'aller dans ma chambre.

Parce qu'il ne faut pas crier. Ni taper du pied. Mais moi, je n'ai jamais entendu ce règlement-là, avant.

J'ai fermé ma porte très fort. J'ai mis ma tête sous mon oreiller et, tout bas, j'ai dit que maman était une tête dure!

Et puis vous savez quoi? J'ai dit aussi :
— Les enseignantes, ce n'est pas des madames normales! Bon! Ha! ha!

4/ Au supermarché

Le jour d'après, c'était samedi.

Le samedi, c'est le jour où maman et moi, on va au supermarché.

Il y a des règles pour moi là-bas.

Je n'ai pas le droit de crier : « JE VEUX DE LA CRÈME GLACÉE! »

Et je ne peux pas traiter ma maman de grosse méchante si elle ne veut pas m'en acheter.

Et je n'ai pas le droit de manger des guimauves qui ne sont pas à moi.

Sinon le monsieur du magasin t'arrache le

sac des mains et il te dit : «Manger, c'est la même chose que voler, mademoiselle! »

Et puis il t'emmène voir ta maman. Et il faut qu'elle paie tout le sac. Sauf que je ne comprends pas pourquoi. Parce que j'en ai mangé juste trois, des choses molles, c'est tout!

Les chariots du magasin ont des sièges. C'est pour asseoir les bébés. Mais ce n'est pas pour moi. Parce que les grandes filles, elles, marchent toutes seules.

Et puis vous savez quoi? Une fois, ma maman m'a laissée pousser le grand chariot toute seule.

Sauf que là, le chariot a frappé des boîtes de haricots qui sont tombées d'une tablette. Et une grand-maman s'est pris le pied dans la roue de mon grand chariot. Alors, maintenant, il faut que j'attende d'être encore plus grande.

L'allée que j'aime le plus, c'est celle des biscuits. Parce que, des fois, il y a une madame là, devant une table. Et elle nous fait goûter des biscuits à maman et à moi, et on ne les paie même pas.

Je pense que ces biscuits-là s'appellent des gratuits.

Mais dommage pour moi parce que la madame n'était pas là, ce samedi-là. J'étais déçue. Alors j'ai dit :

— Zut! Pas de madame avec des gratuits!

Maman m'a fait un sourire.

— Ce n'est pas grave, Junie B. Dès que nous serons rentrées, nous allons faire nos propres biscuits pour la journée des grands-parents, tu te souviens? Ce sera amusant, non?

J'ai fait bouger mes épaules en haut et en bas.

J'étais encore fâchée parce qu'elle ne voulait pas m'emmener chez mon enseignante.

— Quel genre de biscuits veux-tu? m'a demandé maman.

Je l'ai regardée avec les sourcils froncés.

— Je ne veux même plus faire des biscuits! lui ai-je répondu. Parce que tu ne veux pas m'emmener dans la maison de Madame!

Alors, maman m'a passé la main dans les cheveux.

— Être en colère n'y changera rien, Junie B.! Alors maintenant, tu veux choisir la préparation à biscuits ou bien c'est moi qui le fais?

Alors maman a pris une boîte et elle me l'a donnée. Et moi, je l'ai jetée très fort dans le chariot.

— Merci! a dit maman.

— Pas de rien! ai-je répondu.

Après, maman m'a emmenée dehors parce qu'elle voulait me parler.

Elle dit ça quand elle est fâchée contre moi. Alors elle me demande : « Dis donc, pour qui tu me prends, mademoiselle? » Et elle me demande aussi combien de temps je pense qu'elle va endurer ça.

Et puis il faut toujours que je lui fasse une *scuse*.

Une *scuse*, c'est quand je dois dire :
« Pardon ».

Sauf qu'on peut le dire même si ce n'est pas vrai qu'on veut le pardon. Parce que personne ne peut savoir ce qu'on pense pour de vrai dans notre tête!

Après qu'on a parlé, on est retournées dans le magasin.

— On continue? m'a demandé maman.

Et elle m'a donné une autre boîte de préparation à biscuits, et je l'ai mise très doucement dans le chariot.

— Voilà qui est mieux! a dit maman. Merci!

« Pas de rien! » ai-je répondu, dans ma tête.

Et puis, j'ai fait un sourire pour moi toute seule. Parce que maman ne peut même pas entendre ce que je dis dans ma tête!

Après ça, on est allées à l'allée suivante. Et là, j'ai vu ce que j'aime le plus beaucoup au monde!

Une fontaine d'eau!

— Eh! j'ai soif, moi!

J'ai couru jusqu'à la fontaine et je suis montée sur la petite marche.

— Tu veux que je t'aide? m'a crié maman.

— Non! ai-je répondu. Parce que j'ai presque six ans, c'est pour ça! Alors je sais déjà comment ça marche, cette machine-là. Et puis je sais une autre chose aussi. Il ne faut pas que je touche le robinet avec ma bouche. Sinon, les microbes vont entrer dedans et je vais mourir!

J'ai fait un sourire très fier.

— C'est Paulie qui me l'a dit! ai-je expliqué à maman.

Et puis j'ai penché la tête sur la fontaine. Et j'ai bu très longtemps.

— Dépêche-toi, Junie B., a dit maman. J'ai

des courses à faire...

Alors je me suis essuyé la bouche avec ma manche.

— Oui! Mais moi, je ne peux pas me dépêcher! Sinon je vais avoir mal au ventre et ça va me faire cracher de l'eau. Parce qu'il y a un garçon qui s'appelle William qui a fait ça dans la cour, hier!

Maman a regardé sa montre.

— Bon... d'accord... Je vais être juste là, au rayon des céréales... Viens me rejoindre aussitôt que tu auras fini!

— D'accord! ai-je répondu, très contente.

Puis je me suis tournée pour boire, boire, boire.

Sauf que je commençais à me sentir mal. Alors je me suis assise sur la petite marche pour faire reposer mon eau.

C'est à ce moment-là que la grande porte du magasin s'est ouverte.

Et vous savez quoi?

Mes yeux sont presque sortis de ma tête!
Parce que j'ai eu un gros choc!
C'était Madame qui était là!
Mon enseignante à moi entrait dans le même magasin que nous!!!

5/ Un petit peu malade...

Madame ne m'a pas vue. C'est parce que je me suis cachée très vite derrière la fontaine.

Et vous savez quoi?

Il y avait un *homme* avec elle! Et je ne l'avais jamais vu avant, lui!

Je me suis dit à moi-même :

— Eh! mais qui c'est, ça?

J'ai couru le plus vite que je le pouvais jusqu'à l'allée des céréales, pour dire à maman ce que j'avais vu.

Et puis, tout à coup, je me suis rappelé que maman m'avait dit de ne plus espionner.

J'allais peut-être me faire gronder...

C'est pour ça que j'ai arrêté de courir. Et j'ai commencé à retourner à la fontaine pour surveiller Madame encore un peu. Mais maman m'avait déjà vue, et elle a crié :

— Eh! Junie B.? Où vas-tu comme ça? Viens ici!

— Oui! Mais je ne peux pas venir tout de suite! ai-je expliqué. Parce que je viens de me souvenir de quelque chose de très important : je n'ai pas fini de boire!

Je suis retournée très vite à la fontaine. Mais Madame et le drôle de monsieur étaient déjà partis.

— Zut! Où sont-ils passés?

Après, j'ai été obligée de les chercher dans tout le magasin.

Tout d'abord, j'ai regardé là où il y a le chocolat au lait. Après, j'ai regardé là où il y a le *pasketti* et la sauce tomate. Et puis j'ai aussi regardé où il y a tous les bonbons délicieux.

35

Mais devinez où je les ai trouvés?

Où il y a les stupides de légumes puants!

Je me suis vite baissée et je me suis cachée derrière le coin. Et puis je les ai un peu espionnés en cachette.

J'ai vu Madame qui prenait des brocolis dégueus!

Et des tomates... ouache!

Et un drôle de légume qui s'appelle un *soukini*!

Sauf que là, le drôle de monsieur a enlevé le *soukini* de ses mains et il a essayé de le remettre sur la tablette.

Mais Madame l'a repris et elle a fait semblant de lui taper sur la tête avec. Et puis, ils ont bien ri tous les deux.

Mais alors, il s'est passé quelque chose de terrible.

Madame et le drôle de monsieur, ils se sont fait un gros bisou sur la bouche!

Comme ça! Devant tout le monde!

Moi, j'ai mis les mains sur mes yeux. Parce que j'avais honte de Madame, c'est pour ça. Parce que les enseignantes, elles ne devraient pas faire des bisous pareils!

Après, j'ai regardé un petit peu entre mes doigts. Et j'ai vu que Madame était devant le raisin.

Elle en a pris des verts, puis elle a enlevé quelques raisins, juste sur le dessus.

Et là, elle a fait quelque chose d'encore plus terrible... Elle a mis les raisins dans sa bouche! Et elle les a MANGÉS!

MADAME a MANGÉ les RAISINS!

Et elle ne les a même pas PAYÉS! Je ne me sentais pas bien du tout.

— Oh nooon... ai-je dit tout bas. Oh non, oh non...

Parce que manger, c'est la même chose que voler, vous vous souvenez?

Et une enseignante, ça ne doit pas voler! Une enseignante, ça ne doit rien faire de mal!

Parce qu'il faut qu'elle soit un bon *zample* pour les enfants!

Après ça, mon ventre se sentait tout drôle.

Parce que Madame n'a même pas été prise et que ça ne lui a pas donné une leçon.

Parce que personne n'a vu ce qu'elle a fait!

Ni le directeur du magasin. Ni le drôle de monsieur. Personne.

Personne... sauf moi!

6/ Les lèvres super serrées!

Je n'ai pas rapporté. Je n'ai pas dit que Madame avait volé du raisin.

Parce que si je l'avais dit à maman, elle m'aurait grondée d'avoir espionné.

Et si je l'avais dit au directeur du magasin, Madame aurait été en prison.

Alors j'ai gardé ça bien caché dans ma tête. Parce que personne ne peut voir mes secrets dans ma tête.

Même si on me regarde dans les oreilles!

Dimanche, papi et mamie Miller sont venus

souper à la maison. Mais je n'ai pas pu leur parler beaucoup.

Parce que les secrets, c'est très glissant. Et je ne voulais pas que mon secret à moi sorte de ma bouche sans faire exprès.

— Comment se fait-il que tu sois si silencieuse, ce soir, Junie B.? m'a demandé mamie Miller. Tu as mangé ta langue ou quoi?

J'ai ouvert la bouche très grand.

— Comment on peut manger sa langue, mamie? Est-ce qu'il faut l'enlever d'abord? Est-ce qu'il faut la couper en petits morceaux ou est-ce qu'on l'avale d'un coup? Est-ce qu'on peut l'avaler sans faire exprès?

Mamie Miller a fait la grimace. Et puis elle a arrêté de manger sa tranche de rôti.

Maman m'a regardée avec des yeux étonnés.

— Tu redeviens bien bavarde tout à coup! Tu n'es plus fâchée pour cette histoire de biscuits?

Alors je me suis souvenue qu'il ne fallait pas que je parle. Sinon mon secret allait peut-être sortir.

J'ai serré mes lèvres très, très fort.

Et vous savez quoi? Même le jour d'après, quand j'ai pris l'autobus pour aller à l'école, mes lèvres étaient encore bien serrées!

— Bonjour, Junie B.! m'a dit ma meilleure copine qui s'appelle Grace.

Moi, je lui ai fait bonjour avec la main.

Mais Grace a pris un air pas content.

— Pourquoi tu ne me dis pas bonjour? Tu *dois* dire bonjour! C'est la règle!

Mais je n'ai rien dit quand même.

Alors elle m'a traitée de grosse idiote.

Et quand on est arrivées à l'école, elle a dit à Lucille que j'étais méchante. Et puis elles ont joué aux chevaux toutes seules.

Sans moi.

C'est pour ça que je leur ai chanté :

— HA! MOI, J'AI UN SUPER SECRET...

NANANA NANA NA...

Juste après, Grace a mis les mains sur ses hanches.

— Et alors? a-t-elle crié. On s'en fiche! Hein, Lucille?

Sauf que Lucille est venue à toute vitesse. Parce que, elle, elle ne s'en fichait pas du tout.

— Si tu me dis ton secret, m'a-t-elle chuchoté, je serai ta meilleure copine...

— Oui! Mais je ne peux pas, Lucille! lui ai-je expliqué. Parce que si je te dis mon secret, Madame aura plein de gros problèmes! Donc... il faut que je le garde dans ma tête!

Lucille a pris un air très fâché.

— Il ne faut pas garder des secrets dans sa tête, Junie B.! Mon frère dit que ça fait de la pression dans le cerveau! Et qu'après, ta tête, elle *splose*!

Mes yeux sont devenus tout grands. Ça m'a fait peur, et j'ai crié :

— Oh noooon!

Alors je me suis tenu la tête bien fort avec mes mains et j'ai couru bien vite au bureau de l'infirmière. Parce que l'infirmière, elle devait avoir des pansements pour que ma tête reste en un seul morceau.

— MA TÊTE VA *SPLOSER*! ai-je crié à

l'infirmière. MA TÊTE VA *SPLOSER*!

Elle s'est levée d'un saut de son bureau pour venir me voir. Elle m'a demandé :

— Qu'est-ce qu'il y a, Junie B.? Tu as très mal à la tête?

— Non, mais j'ai un secret! C'est un secret sur Madame et je ne peux pas le dire! Et puis maintenant, ça fait de la pression dans mon cerveau et j'ai besoin d'un pansement... sinon, ça va *sploser*!

L'infirmière m'a dit de me calmer. Elle m'a mis un pansement sur la tête. Puis, elle et moi, on est allées au bureau du directeur.

Le directeur, c'est comme ça qu'on appelle le chef de l'école. Lui et moi, on se connaît déjà très bien.

C'est parce qu'on m'envoie tout le temps le voir. Et maintenant, je n'ai même plus peur de lui.

Le directeur m'a dit de m'asseoir sur une grande chaise en bois.

— Bonjour, Junie B.! m'a-t-il dit. Quel est le problème aujourd'hui?

— Bonjour monsieur, ai-je répondu. Ma tête va *sploser*!

Le directeur a fait des petits yeux. Et il m'a demandé :

— Qu'est-ce qui te fait croire que ta tête va exploser?

Je me suis un peu tortillée sur ma chaise en bois et j'ai répondu :

— Parce que j'ai un secret enfermé dedans! C'est pour ça!

Le directeur s'est assis derrière son bureau. Il a croisé les mains et il a dit :

— Peut-être que je pourrai t'aider, si tu me dis ton secret?

— Oui... mais je ne peux pas!

Le directeur m'a regardée avec un air très déçu.

— Moi qui croyais qu'on était des amis, tous les deux... a-t-il ajouté.

— C'est vrai! ai-je dit. Même que je n'ai plus peur de vous!

Le directeur a ri.

— Bon! C'est parfait! Alors... dis-moi ce qui t'embête?

J'ai soufflé très fort.

Il ne m'avait même pas écoutée!

— J'ai dit que je ne peux pas parler! ai-je répété. Parce que si je parle, je pourrais dire sans faire exprès que mon enseignante a volé des raisins au magasin. Et alors elle pourrait aller en prison! Et c'est pour ça que je garde mon secret dans ma tête. C'est tout.

J'ai tiré sur ma jupe et j'ai annoncé :

— La fin!

Et puis j'ai serré mes lèvres très fort. Pour que mon secret ne se sauve pas!

Seulement, vous savez quoi?

Je pense qu'il était déjà sorti!

7/ Du raisin pas mûr

Le directeur a demandé à Madame de venir dans son bureau.

Mais je ne savais pas qu'il allait faire ça.

C'est pour ça que j'ai dû remonter ma jupe par-dessus ma tête. Sinon Madame allait me voir. Et elle saurait que j'avais rapporté sur elle.

— Ne fais pas ça! m'a dit le directeur.

— Oui... mais j'ai le droit! ai-je répondu sous ma jupe. Parce que j'ai mes nouveaux collants rouges en laine! Et aussi un long caleçon.

Après ça, le directeur est sorti de son bureau. Et j'ai entendu la voix de mon enseignante derrière la porte.

Alors je suis descendue très vite de la grande chaise en bois. Et je me suis cachée sous le bureau du directeur. Parce que j'avais peur de ce qui allait m'arriver. C'est pour ça!

Je n'ai pas bougé pendant plein de minutes.

Et puis j'ai entendu des bruits de pieds qui revenaient tout près de moi. Et je n'ai plus fait de bruit, même pour respirer...

— Junie B.? Junie B. Jones? a appelé le directeur.

— Peut-être qu'elle se cache, a dit Madame.

Elle est très forte à ce jeu-là, vous savez!

Il fallait que je trouve quelque chose très vite. Sinon ils allaient me chercher.

— Ouiiiii! ai-je dit avec une voix horrible exprès. Seulement, Junie B. Jones ne se cache paaas... Elle est partie chez elle! Mais il ne faut pas appeler sa maman! Sinon elle va se mettre en colère! Et elle va vous casser la tête!

Après ça, des pieds ont fait le tour du bureau pas mal vite. C'était le directeur. Il m'a crié :

— Sors de là tout de suite, jeune fille!

Je l'ai regardé par-dessous et j'ai dit très doucement :

— Zut.

Après, j'ai dû remonter sur la grande chaise en bois. Et Madame s'est assise à côté de moi. Mais moi, je ne l'ai pas regardée. Peut-être qu'elle allait me montrer son poing.

— Bonjour, Junie B., m'a-t-elle dit avec une voix gentille.

J'ai avalé ma salive.

— Je crois que toi et moi, on a besoin de se parler...

Alors un peu de mouillé est venu dans mes yeux. Parce que *se parler*, ça veut dire que je vais me faire gronder. J'ai dit tout de suite :

— Oui... mais j'ai essayé de ne pas rapporter sur vous. Parce que je ne voulais pas qu'on vous mette en prison à cause du raisin que vous avez volé. Alors j'ai gardé le secret dans ma tête, moi. Et je n'ai pas parlé. Même que mamie Miller, elle pensait que j'avais mangé ma langue coupée en petits morceaux... Mais, aujourd'hui, Lucille a dit que ma tête allait *sploser*. Et c'est pour ça que j'ai couru chez l'infirmière pour qu'elle me mette un pansement. Alors, elle m'a emmenée chez le directeur. Et mon secret, il est sorti de ma bouche sans faire exprès...

Madame m'a essuyé les yeux avec un mouchoir en papier.

— Tout va bien, Junie B.! m'a-t-elle dit
pour me consoler. Je ne suis pas fâchée contre
toi. Il faut juste que je sache ce que tu m'as
vue faire au supermarché. Tu peux me dire ce
que tu as vu?

Et puis elle a dit le mot *et-zaquetement*.

J'ai pris ma voix la plus petite :

— Je vous ai *et-zaquetement* vue prendre
des raisins. Et vous ne les avez pas payés au
monsieur du magasin. Vous les avez mis dans
votre bouche et vous les avez mangés... Et je
pense que c'est ça qui s'appelle voler...

Après, moi, je me suis recachée sous ma
jupe.

— Tu n'as pas à te cacher, Junie B., m'a
dit Madame. C'est *moi* qui devrais me cacher!
C'est *moi* qui ai pris le raisin!

J'ai regardé un petit peu par-dessus ma
jupe.

Alors Madame m'a fait un sourire. Et elle
m'a tout expliqué :

— Il y a deux semaines, j'ai acheté du raisin dans le même magasin. Mais quand je suis arrivée à la maison, je me suis aperçue qu'il était tellement amer que personne ne pourrait en manger! Alors, *cette* semaine, quand nous sommes retournés, mon mari et moi, au supermarché, je me suis dit que j'allais être plus intelligente et en goûter un ou deux avant d'en acheter!

J'ai levé mes sourcils.

— Est-ce que c'est la règle? ai-je demandé tout doucement.

Madame a secoué la tête.

— Non, a-t-elle répondu. Ce n'est *pas* la règle! J'aurais dû parler de mes raisins amers au directeur du magasin. Et puis j'aurais dû lui demander la permission de goûter ceux de cette semaine. Mais je ne l'ai pas fait. Et tu as eu tout à fait raison de t'inquiéter quand tu m'as vue manger du raisin sans payer!

— C'est vrai?

Madame m'a refait un sourire.

— Bien sûr que c'est vrai! Ça montre que tu sais reconnaître ce qui est bien et ce qui est mal! Et ça montre aussi que les enseignants peuvent commettre des erreurs... comme tout le monde! Les enseignants ne sont pas parfaits, Junie B. *Personne* n'est parfait!

Après, je me suis sentie mieux en dedans. Parce que je n'avais plus de secret dans ma tête, moi. C'est pour ça!

— Oui! ai-je dit toute contente. Et vous savez ce que j'ai vu encore? Je vous ai vue faire un gros bisou sur la bouche à un drôle de monsieur! Et c'était en plein devant tout le monde! Mais personne ne savait que j'étais en train d'espionner. Parce que je n'ai pas le droit. Mais ma mère, elle ne le savait même pas!

Et j'ai fait un sourire très fier de moi.

Sauf que Madame n'a pas souri. Et le directeur non plus.

Parce que vous savez quoi?

C'était encore un secret qui venait de sortir!

C'est pour ça.

8/ La journée des grands-parents!

Madame est retournée dans ma classe numéro neuf. Parce qu'il y a eu la sonnerie pour dire que la classe commençait.

Mais le directeur ne m'a pas laissée partir.

Il a dit que je devais rester sur la chaise en bois.

Et puis il a appelé maman au téléphone. Et il lui a tout raconté pour le supermarché. Et aussi que j'avais espionné en secret.

Le directeur, c'est un panier percé.

Après, maman a dit qu'elle voulait me parler. Mais quand je lui ai dit bonjour, elle,

elle ne m'a pas répondu bonjour.

Elle m'a dit qu'elle n'était pas contente de moi, mademoiselle! Que quand elle me disait de ne plus espionner, ça voulait dire ne plus espionner! Et qu'on reparlerait de tout ça après son travail!

Et puis maman a dit qu'elle ne voulait plus que le directeur l'appelle. Est-ce que c'était bien compris? Oui?

J'ai regardé le directeur.

— Ma maman vous dit de ne plus l'appeler! ai-je dit.

Alors, maman a grogné dans le téléphone, mais je ne sais pas pourquoi.

Après, on a raccroché toutes les deux et le directeur a dit que je pouvais retourner dans ma classe numéro neuf. Alors j'ai couru très vite.

Mais dommage pour moi parce que, quand je suis arrivée, c'était trop tard pour chanter la première chanson du matin.

Je me suis juste assise à ma table et c'est tout.

Et j'ai montré mon pansement à Lucille.

— Tu vois? Ma tête n'a pas *splosé*! lui ai-je dit, très contente.

— Dommage! a dit Jim-la-peste, le garçon que je déteste.

Je lui ai montré mon poing. C'est comme ça qu'on a commencé la bagarre.

La *bagarre*, c'est comme ça qu'on dit à l'école quand on déchire la chemise de quelqu'un sans faire exprès.

Mais vous savez quoi? Je ne me suis même pas fait gronder! Parce que, juste à ce moment-là, les grands-parents sont arrivés dans ma classe numéro neuf pour la journée des grands-parents!

— EH! REGARDEZ MON PAPI ET MA MAMIE! ai-je hurlé tellement j'étais énervée. MON PAPI, C'EST CELUI QUI N'A PAS DE CHEVEUX SUR LA TÊTE!

— Le mien n'a pas de cheveux non plus! a
dit une fille qui s'appelle Charlotte.

— Le mien non plus! a dit mon petit ami
qui s'appelle Ricardo.

Et puis une grand-mère avec des cheveux
blonds est arrivée. Elle avait des ongles rouges
très longs. Et des belles boucles d'oreilles qui
pendaient, avec des pierres précieuses qui
brillaient dessus.

— C'est ma mamie! a crié Lucille.

Je lui ai fait un sourire et je lui ai dit :

— On dirait qu'elle est super riche, ta
mamie, Lucille?

Après ça, il y a une autre grand-mère qui
est entrée. Elle a couru jusqu'à Jim-la-peste. Et
elle a essayé de le serrer dans ses bras très fort.

Mais le méchant Jim est resté planté là. Et
il ne l'a même pas serrée avec ses bras, lui.

Alors j'ai tapé sur le bras de sa mamie et je
lui ai dit :

— Moi, je vais vous faire un câlin.

On s'est fait un gros câlin.

— Je le déteste, votre Jim! lui ai-je dit très gentiment.

À ce moment-là, Madame a tapé très fort dans ses mains. Et elle a demandé aux grands-parents de s'asseoir au fond de la classe.

Et puis nous, les enfants, on a parlé de ce qu'on fait à l'école.

— On s'amuse bien, ici, a raconté ma meilleure copine Grace. On apprend à compter. Et à lire. Et à nous laver les mains quand on est allés aux toilettes.

— Et on apprend la récréation... les collations... et le dessin! a ajouté Ricardo.

— Le dessin, c'est ce que je préfère! ai-je crié. Mais mon dernier dessin, il n'est pas accroché! Parce que j'avais fait un cheval, mais sa tête ressemblait trop à une grosse saucisse. J'ai été obligée de le déchirer et aussi de marcher dessus avec mes souliers!

Alors, Jim-la-peste, il a fait le signe avec

son doigt pour dire que j'étais folle!

Et il a fait ça devant tous les grands-parents!

— Oui... mais tout le monde peut faire des erreurs! lui ai-je répondu. Hein que c'est vrai, Madame? Parce que vous aussi, samedi, au supermarché, vous avez embrassé un monsieur sur la bouche, hein? Et après, vous avez volé du raisin? C'est vrai, hein?

Le visage de Madame est devenu tout bizarre. Et puis ses joues sont devenues rouges. Et puis sa voix ne disait plus rien.

— Pourquoi vous ne dites rien, Madame? ai-je crié. Est-ce que vous avez avalé votre langue coupée en petits morceaux?

À ce moment-là, mamie Miller a éclaté de rire au fond de la classe. Et puis j'ai entendu mon papi rire aussi.

Et plein d'autres grands-parents ont ri.

— EH! ON S'AMUSE BEAUCOUP ICI! ai-je crié.

Après ça, Madame était moins rouge.

On a sorti les *fraîchissements*. Papi Miller m'a aidée à placer mes biscuits sur une assiette.

Madame a fait une annonce. Elle a dit que les enfants devaient prendre deux biscuits chacun et pas plus.

Sauf que moi, j'ai mangé quatre délicieux biscuits au chocolat. Et personne ne m'a vue!

Mais ça ne s'appelle pas voler.

C'est juste manger des biscuits de plus!

Après les *fraîchissements*, les grands-parents ont dû retourner à leur maison. Alors j'ai fait un gros câlin à mon papi et à ma mamie.

Et puis j'ai fait un câlin aussi à la grand-maman de Jim-la-peste.

Et aussi à la mamie super riche de Lucille.

— J'aime vos boucles d'oreilles qui brillent! lui ai-je dit.

Alors Madame a vu que j'étais très polie et elle m'a fait un grand sourire.

Madame a les dents très blanches.

Elles sont comme les dents de papi Miller. Sauf que je pense que Madame ne peut pas enlever les siennes...

Mais je ne suis pas sûre, sûre.

Et vous savez quoi?

J'ai toujours envie de me cacher dans son panier de linge sale, moi!